FICH

DOCUMENT R
MAITRE EN LANGUES ET
(U.

Huis clos

JEAN-PAUL SARTRE

lePetitLittéraire.fr

Jean-Paul Sartre
Écrivain et philosophe français

- **Né en 1905 à Paris**
- **Décédé en 1980 à Paris**
- **Quelques-unes de ses œuvres:**
  La Nausée (1938), roman
  Huis clos (1944), pièce de théâtre
  L'existentialisme est un humanisme (1946), essai
  philosophique

Jean-Paul Sartre est un écrivain et un philosophe français né en 1905 à Paris et mort en 1980. Célébré en même temps que rejeté pour sa pensée existentialiste, il est l'auteur de plusieurs essais comme *L'Être et le Néant* (1943) ou *L'existentialisme est un humanisme* (1946). Il a également ment écrit de nombreux textes littéraires dans lesquels se déploient avec force sa philosophie et sa définition de la littérature: *La Nausée*, roman publié en 1938, *Les Mouches*, pièce de théâtre parue en 1943, ou encore *Huis clos*, édité en 1944. En 1964, il refuse le prix Nobel de la littérature et publie *Les Mots*, un récit autobiographique sur sa jeunesse. Connu aussi comme le compagnon de Simone de Beauvoir (femme de lettres française, 1908-1986), Sartre a marqué les esprits tant par son activité d'écrivain que par son engagement politique d'extrême gauche.

Huis clos
« L'Enfer, c'est les autres » :
une réflexion existentielle

- **Genre :** pièce de théâtre
- **Édition de référence :** *Huis clos* suivi de *Les Mouches*, Paris, Gallimard, coll. « Folio », 1947, 245 p.
- **1re édition :** 1944
- **Thématiques :** victime-bourreau, responsabilité, liberté, autrui, regard, souffrance

Écrite en 1943 et jouée dès 1944, *Huis clos* est une pièce de théâtre qui illustre les thèses existentialistes. Sartre y met en scène trois personnages enfermés dans une même pièce et contraints de cohabiter pour l'éternité. Très vite, ils constatent leurs différences, puis perçoivent dans le regard des autres l'image qu'ils donnent d'eux-mêmes. Cette image est insupportable et, malgré leurs efforts, ils ne parviennent pas à la fuir. Finalement, on comprend que, pour Sartre, « l'enfer, c'est les autres », ou plutôt la façon dont les autres nous perçoivent.

Dans cette pièce, Sartre insiste aussi sur les thèmes de la responsabilité et de la nécessité d'un engagement politique, qui sont, pour lui, les conséquences directes de la liberté dont l'homme bénéficie.

RÉSUMÉ

La pièce compte un seul acte divisé en cinq scènes.

Un garçon d'étage amène un homme, Joseph Garcin, un ancien journaliste pacifiste, dans un salon. On apprend par la suite qu'il est mort, à l'instar des deux autres personnes qui pénètreront après lui dans la pièce. Ils y seront enfermés pour l'éternité. Celui-ci est rassuré de n'y voir ni instrument de torture, ni moyen de faire souffrir. Mais, rapidement, il commence à observer différemment le salon et s'interroge sur certains éléments qu'il estime douteux : pas de brosse à dents, aucune fenêtre, une porte qui ferme de l'extérieur et une lumière artificielle permanente.

Resté seul, l'homme, pris de désespoir, sonne pour appeler le garçon, puis tambourine à la porte, sans succès, jusqu'au moment où le garçon entre une seconde fois, accompagné d'une dame : il s'agit d'Inès Serrano, une ancienne employée des postes. Perdue, celle-ci croit se trouver face à son bourreau et réclame une certaine Florence. Garcin se demande pourquoi elle l'a pris pour un bourreau et elle lui avoue que c'est à cause de la peur qu'il éprouve. Gêné, Garcin détourne la conversation et essaie d'organiser leur vie commune sous le signe du respect, de la politesse et, surtout, du silence. Chacun s'installe dans son coin, mais Inès est rapidement gênée par un tic nerveux de Garcin. Elle lui intime l'ordre d'arrêter, mais celui-ci, incapable de se retenir, enfouit son visage dans ses mains.

Entre alors une troisième personne, Estelle Rigault, une mondaine. Celle-ci est effrayée par Garcin et le supplie de ne pas relever la tête, puis s'excuse en prétextant une méprise dont elle se met à rire. Avant de sortir, le garçon d'étage annonce que toutes les personnes attendues sont arrivées. La jeune femme cherche à s'assoir, mais ne peut tolérer ni le divan vert qui lui est dévolu, ni le bordeaux qu'Inès propose de lui céder. Garcin, contraint, cède le sien.

Inès s'intéresse tout de suite à Estelle. Polie, elle pose à ses deux compagnons des questions sur la raison de leur « absence » (elle utilise cette expression pour désigner la mort, car elle ne peut supporter cette idée) et la faute qu'ils ont commise pour se retrouver dans le salon. Chacun raconte alors des passages de sa vie. Garcin explique qu'il pense avoir agi en héros : fidèle à ses convictions pacifistes, il s'est opposé à la guerre et a été exécuté soi-disant parce qu'il refusait de se battre. Estelle, quant à elle, explique qu'elle était pauvre, qu'elle a épousé un vieil homme riche pour subvenir aux besoins de son frère malade et qu'ensuite elle a succombé à un bel amant. Elle ment cependant en affirmant aux autres qu'elle n'a pas commis de faute. Inès leur reproche leur mauvaise foi. S'ils sont là, c'est qu'ils ont une faute à payer.

Occasionnellement, des visions parasitent leurs conversations. Celles-ci permettent de maintenir un contact temporaire entre les trois personnages et les personnes qui les ont aimés. Elles indiquent également aux autres la vérité sur chacun d'eux.

Garcin veut battre Inès pour la contraindre au silence. Elle comprend dès lors que leur souffrance en enfer ne sera pas physique, mais morale. Chacun est le bourreau des deux autres. Pour échapper à ce fléau, Garcin propose de se renfermer dans le silence : les personnages regagnent alors leurs divans. Mais Inès refuse cette attitude ridicule. Pour elle, chacun doit avouer les fautes commises pour pouvoir comprendre qui ils sont les uns pour les autres.

Inès, loin de vouloir rester silencieuse, cherche à séduire Estelle. Puisque la salle est dépourvue de miroirs et qu'Estelle veut se maquiller, elle propose de lui servir de miroir. Gênée, Estelle repousse les avances d'Inès, alors que Garcin refuse de se mêler à leurs discussions. Malgré tout, Estelle a besoin du regard d'Inès pour lui servir de miroir. Ne supportant pas cette dépendance, elle réclame la participation de Garcin aux débats. À nouveau, il exige que chacune oublie les autres et se taise.

Garcin, exaspéré, se lance dans les confidences. Il reconnait avoir humilié sa femme jusqu'à la faire mourir. Inès, quant à elle, raconte son histoire sans remords : elle a séduit Florence, l'épouse de son cousin. Pour éliminer ce dernier, elle l'a poussé sous un tramway, puis elle a vécu six mois avec sa bien-aimée, jusqu'à ce que cette dernière les tue toutes deux. Estelle, plus réticente, finit par céder et avoue avoir tué l'enfant qu'elle avait conçu avec son amant. De désespoir, ce dernier s'était suicidé. Désormais, tous savent qu'ils sont responsables de la mort de ceux qu'ils ont aimés.

Garcin propose d'entériner un pacte de pitié mutuelle. Chacun oublie donc ce qu'il a entendu des autres, mais Inès, voulant toujours séduire Estelle, refuse de laisser le beau rôle à Garcin. Estelle, de son côté, repousse toujours Inès, et recherche la protection et l'affection de Garcin. Tous deux jouent la comédie de l'amour, sous le regard jaloux d'Inès. Estelle feint de croire à l'acte héroïque de Garcin et, en contrepartie, Garcin fait croire qu'il est convaincu de l'innocence d'Estelle.

Ce mensonge pourrait les satisfaire si Inès ne les inondait pas de commentaires et de questions. Elle contraint ainsi Garcin à dire la vérité sur sa mort. Le pacifiste se révèle finalement être un déserteur mort lâchement. Dès lors, Garcin ne peut se complaire dans sa relation avec Estelle puisqu'elle ne lui permet plus d'oublier l'échec de sa vie. Écœuré, il implore l'enfer de le laisser quitter le salon. La porte s'ouvre, mais il ne fuit pas. En effet, son départ ne lui permettrait pas d'échapper à l'accusation de lâcheté prononcée par Inès. Il veut donc rester pour la convaincre de son héroïsme. Mais Inès campe sur ses positions et confirme que la vie d'un individu se résume à la somme de ses actes. Après sa mort, il ne peut plus les changer : Garcin restera dès lors lâche à jamais.

Estelle s'offre à nouveau à Garcin pour narguer Inès, mais celui-ci la repousse encore. De rage, elle menace de tuer Inès avec le coupe-papier posé sur la table, mais ce geste se révèle absurde puisqu'ils sont déjà morts. Estelle reconnait elle aussi qu'ils sont condamnés à rester ensemble, sans pouvoir mentir ni se mentir.

Cette torture morale mutuelle ne peut trouver de fin puisque chacun est à la fois bourreau et victime des autres. Le premier qui souhaiterait s'imposer serait neutralisé par les deux autres. Par conséquent, chacun est contraint de regarder la vérité en face, sans miroir déformant.

ÉTUDE DES PERSONNAGES

GARCIN

Journaliste politique, Garcin se présente comme un écrivain engagé, fidèle à ses convictions pacifistes. Pourtant, même s'il a choisi d'être pacifiste, il n'a pas assumé ce choix jusqu'au bout. Il a fait volteface par nécessité, par peur, et a déserté. Par cet acte, il s'est exclu des valeurs qu'il avait choisi d'incarner.

Il ne veut pourtant pas admettre cette vérité et fait preuve d'une mauvaise foi permanente. Il ne peut supporter l'idée qu'il est un lâche et s'est construit, pour échapper à cette réalité, un monde fait d'excuses et d'alibis. Pourtant, ses tics gestuels trahissent sa peur.

Lorsque ses mensonges ne peuvent plus cacher la réalité, Garcin se montre nerveux, colérique et incapable de se dominer. Il est agressif verbalement et physiquement : il menace, ordonne, crie. Par cette attitude, il cherche à supprimer ceux qui font naitre la culpabilité en lui, non à assumer cette culpabilité.

Puisqu'il n'est pas un héros, Garcin cherche une compensation en exerçant une domination sur autrui. Il cherche à faire souffrir les autres (notamment sa femme), trompe, humilie et agit en bourreau.

Son langage trahit son comportement et révèle son attitude défaitiste. Il passe son temps à dire ce qu'il n'est pas : « Je ne suis pas le bourreau » (p. 27) ; « Je ne suis pas très joli » (p. 52) ; « Je ne danse pas le tango » (p. 72) ; « Je ne suis pas un gentilhomme. » (p. 74)

INÈS

Elle est consciente de ses méfaits. Déjà condamnée pour son homosexualité de son vivant, elle ne s'étonne plus d'être damnée à sa mort. Elle assume. Elle ne se cherche aucune excuse. Elle n'embellit pas son image, elle se connait et s'accepte comme elle est, en se complaisant presque dans sa cruauté. Elle est objective, mais indifférente face à son passé.

Sa propre lucidité lui permet de voir clair dans l'histoire des deux autres personnages. Sans elle, Garcin et Estelle pourraient continuer à mentir et oublier l'enfer.

Pourtant, elle a des faiblesses qu'elle connait. Elle se délecte de la souffrance des autres et ne peut supporter la solitude. Elle aime les femmes et ne peut, à cause de cela, supporter la vision d'un couple hétérosexuel. Elle désire Estelle, mais n'a aucun moyen de la posséder.

Elle est masochiste et cherche à être ridiculisée et humiliée par Estelle. Même si elle connait l'issue de leur relation, elle continue pourtant de tenter sa chance.

ESTELLE

Très superficielle, elle accorde énormément d'importance au paraitre. Elle refuse en bloc la situation et cherche à la dissimuler par sa coquetterie et par ses tournures de phrase ridicules. Sans caractère, sans volonté et sans conscience même, elle ne veut pas réfléchir, ni mesurer la responsabilité de ses actes : « Je ne peux pas supporter qu'on attende quelque chose de moi. » (p. 37)

Ainsi, elle ne se sent ni coupable, ni responsable de sa vie, et estime avoir suivi la voie qui était tracée pour elle. Elle s'est mariée par nécessité. Le coup de foudre justifie son adultère. La peur du scandale explique son infanticide. Elle ne comprend d'ailleurs pas pourquoi son amant s'est suicidé puisque tout scandale était évité. Cette logique justifie à ses yeux tous ses actes.

Cette mauvaise foi lui permet d'échapper momentanément à leurs conséquences et de vivre sereinement, mais ce n'est possible que si ceux-ci y participent. Elle fait donc tout pour que les autres entrent dans son jeu. Elle use de séduction, est prête à se soumettre, à susciter le désir et à défier pour que Garcin l'aime. Mais Estelle recherche un réconfort physique, tandis que Garcin aspire à un réconfort moral. Leur union est impossible. L'idée d'une relation amoureuse avec Inès est inenvisageable à ses yeux car elle nuirait à sa réputation. Elle la repousse et, puisque ce n'est pas suffisant, va jusqu'à vouloir l'éliminer, sans succès.

Finalement, puisqu'aucune solution n'est envisageable, elle hait l'un et l'autre. Cette animosité est une réaction inutile. Elle n'empêche pas Estelle de devoir assumer ses actes sans pouvoir se réfugier dans l'imaginaire comme elle l'a toujours fait.

LE GARÇON D'ÉTAGE

Sa fonction est utilitaire. On apprend par lui à quoi ressemble l'enfer. Personnage simple, il s'étonne des idées que les clients ont sur le lieu dans lequel ils se trouvent. Parfois insolent, il est surtout indigné et spontané, plutôt que volontairement méchant. Il introduit une note humoristique dans un univers tragique.

CLÉS DE LECTURE

LA LIBERTÉ ET LA RESPONSABILITÉ

Un homme est un être capable de réflexion. Cette capacité lui impose des responsabilités. La première est d'user de sa liberté : il faut poser des choix. Ce sont ces choix et ces actes qui définissent ce qu'est l'homme et le système de valeurs auquel il se réfère. Garcin, en prenant le train pour échapper aux conflits, reste ainsi à jamais celui qui n'a pas voulu défendre son engagement pacifiste, celui qui n'a pas assumé son choix : il a fui la guerre plutôt que de défendre la paix.

L'homme ne connait pas à l'avance les conséquences de ses actes, ce qui fait de lui un être libre, mais angoissé. Cependant, comme le montre la pièce, on ne peut se soustraire à la liberté sans risque. Les personnages condamnés à l'enfer le sont pour n'avoir pas osé assumer la liberté que leur imposait leur situation d'être humain : Garcin a renoncé à son idéal pacifiste et a refusé d'assumer ce choix ; Inès est bien consciente de ses actes, mais elle n'éprouve ni regrets ni remords à avoir fait souffrir autrui ; Estelle justifie l'ensemble de sa vie par un destin qu'elle pense déterminé dès sa naissance et qu'elle n'a fait que suivre. La liberté est donc forcément liée à la notion de responsabilité. L'homme qui refuse cette responsabilité nie ce qui fait l'essentiel de sa condition : sa conscience.

Si l'homme qui n'assume pas son existence est condamnable, celui qui opère de mauvais choix l'est aussi. L'homme vit au sein d'une collectivité et doit prendre en compte les conséquences de ses actes sur autrui. C'est le reproche principal qui est fait à Inès, elle qui a vécu en se complaisant du mal qu'elle faisait à son cousin et à Florence. La liberté s'éprouve donc réellement face aux autres et avec les autres.

Puisque Garcin, Inès et Estelle n'ont jamais tenu compte d'autrui durant leur vie, leur damnation passe par une éternelle lutte entre eux. Le lecteur en retient que la liberté ne peut s'acquérir qu'au prix d'une confrontation aux autres éternellement renouvelée.

L'EXISTENCE AVEC LES AUTRES

Les trois personnages dépendent les uns des autres. Ils ne sont plus véritablement libres puisque éternellement liés. À la fin de la pièce, lorsque Garcin a la possibilité de fuir l'enfer, il refuse de le faire car il veut parvenir à convaincre Inès. La séparation n'est plus possible.

Rien ne peut supprimer la présence des autres et rien ne permet d'éviter le conflit. Mais l'enjeu de cet affrontement consiste à percevoir, au-delà du conflit, une vision objective de soi, une vision qui ne repose plus uniquement sur son propre point de vue. On peut ainsi dire que Sartre s'oppose à l'isolement, au repli sur soi, comme à toute forme de conflit, de guerre permanente.

Mais faut-il croire que l'enfer, c'est les autres, comme le dit Garcin (p. 92)? La première impression que l'on peut avoir face à cette phrase est qu'il est impossible d'atteindre le bonheur humain en communauté et que les êtres ne peuvent communiquer parfaitement entre eux. Bref, les hommes seraient condamnés à se détester. Dès lors, on peut y voir toute l'absurdité de l'existence humaine, où chaque homme est condamné dès sa naissance à vivre contre son gré avec ses semblables. Tout le monde peut par ailleurs devenir bourreau ou victime d'autrui : chacun des personnages endosse d'ailleurs ces rôles tour à tour. Garcin fait souffrir Estelle mais est victime d'Inès ; Inès est malmenée par Estelle et tourmente Garcin ; Estelle est bourreau d'Inès mais victime de Garcin.

Cependant, à la lecture de la pièce, on comprend finalement que la cohabitation se révèle être infernale uniquement lorsque les rapports sont fondés sur le mensonge et l'hypocrisie. Ces relations se révèlent complexes : d'une part Estelle et Garcin pourraient continuer leur existence sans souci s'ils n'avaient à faire face aux sarcasmes d'Inès ; d'autre part, si Estelle et Garcin acceptaient la réalité telle qu'elle est, ils n'auraient pas à souffrir de la trop grande clairvoyance d'Inès.

L'EXISTENCE FACE AUX AUTRES

Étant donné l'absence de miroirs, il est impossible de compter sur sa capacité d'analyse personnelle. Il faut compter sur ce que les autres pensent et sur l'idée qu'ils se font de nous pour pouvoir juger de la réussite de nos choix.

Ce recours à l'autre engendre toujours un conflit. Il nous place dans une situation inconfortable (cf. Estelle et Inès) parce que nous sommes réduits à l'état d'objet dans les yeux de l'autre.

L'image que l'autre a de moi et qui fait que j'existe n'est pas forcément la même que celle que je me fais de moi-même. Mais ni lui, ni moi ne parvenons à me voir totalement. Chacun ne détient qu'une vérité partielle.

STYLE ET LANGAGE

En apparence, *Huis clos* ne présente pas une écriture pure. L'œuvre dénombre beaucoup d'expressions familières et parfois vulgaires. Mais Sartre en contrôle l'usage et le langage quotidien n'est pas le seul registre employé.

Sartre utilise en effet une gamme de registres très variée : comique, ironie, lyrisme et tragique. Il élargit aussi son texte à d'autres domaines d'expression que la parole : le chant, la danse et le geste. L'écriture est donc riche, élaborée et efficace.

Si Sartre utilise un langage ordinaire et varié, c'est pour souligner la spontanéité des personnages. Cela permet de renforcer la vraisemblance d'une scène qui se passe dans un contexte paranormal.

Chaque protagoniste s'exprime de façon différente. Le langage opère donc comme un double indice : des conditions sociales et de la mauvaise foi. Garcin utilise des mots abstraits. Inès, plus simple, tutoie et parle avec franchise, sans métaphores, dans un vocabulaire restreint et répétitif. Estelle, quant à elle, conserve des formules de politesse de la bourgeoisie qu'elle fréquente et vouvoie systématiquement.

Plus les personnages se dépouillent de leurs mensonges, plus leur langage perd en formules de politesse, en références culturelles et devient net, cru et parfois virulent.

PISTES DE RÉFLEXION

QUELQUES QUESTIONS POUR APPROFONDIR SA RÉFLEXION...

- En quoi Inès est-elle différente des deux autres damnés ?
- Garcin propose trois moyens pour éviter que chacun soit le bourreau des autres. Quels sont-ils et pourquoi sont-ils impossibles à réaliser ?
- Quel est le problème relationnel entre les trois personnages ?
- Que suggère l'absence de miroirs ?
- Le langage est-il important dans la pièce ? Développez votre réflexion à l'aide d'exemples tirés du texte.
- Expliquez pourquoi Garcin ne peut fuir à la fin de la pièce, même s'il en a la possibilité.
- Commentez cette célèbre citation sartrienne : « L'enfer, c'est les autres. »
- Établissez le lien entre cette pièce et l'existentialisme.
- Peut-on considérer *Huis clos* comme une tragédie ?
- Quelle est la véritable signification du titre ?

POUR ALLER PLUS LOIN

ÉDITION DE RÉFÉRENCE

- SARTRE, J.-P., *Huis clos* suivi de *Les Mouches*, Paris, Gallimard, coll. « Folio », 1947.

ÉTUDE DE RÉFÉRENCE

- HUTIER J.-B., Huis clos *de Jean-Paul Sartre*, Paris, Hatier, coll. « Profil d'une œuvre », 1997.

SUR LEPETITLITTÉRAIRE.FR

- Fiche de lecture sur *La Nausée* de Jean-Paul Sartre
- Fiche de lecture sur *L'existentialisme est un humanisme* de Jean-Paul Sartre
- Fiche de lecture sur *Les Mains sales* de Jean-Paul Sartre
- Fiche de lecture sur *Les Mots* de Jean-Paul Sartre
- Fiche de lecture sur *Les Mouches* de Jean-Paul Sartre
- Fiche de lecture sur *Qu'est-ce que la littérature ?* de Jean-Paul Sartre
- Questionnaire de lecture sur *Huis clos* de Jean-Paul Sartre

Retrouvez notre offre complète sur lePetitLittéraire.fr

- des fiches de lectures
- des commentaires littéraires
- des questionnaires de lecture
- des résumés

ANOUILH
- Antigone

AUSTEN
- Orgueil et Préjugés

BALZAC
- Eugénie Grandet
- Le Père Goriot
- Illusions perdues

BARJAVEL
- La Nuit des temps

BEAUMARCHAIS
- Le Mariage de Figaro

BECKETT
- En attendant Godot

BRETON
- Nadja

CAMUS
- La Peste
- Les Justes
- L'Étranger

CARRÈRE
- Limonov

CÉLINE
- Voyage au bout de la nuit

CERVANTÈS
- Don Quichotte de la Manche

CHATEAUBRIAND
- Mémoires d'outre-tombe

CHODERLOS DE LACLOS
- Les Liaisons dangereuses

CHRÉTIEN DE TROYES
- Yvain ou le Chevalier au lion

CHRISTIE
- Dix Petits Nègres

CLAUDEL
- La Petite Fille de Monsieur Linh
- Le Rapport de Brodeck

COELHO
- L'Alchimiste

CONAN DOYLE
- Le Chien des Baskerville

DAI SIJIE
- Balzac et la Petite Tailleuse chinoise

DE GAULLE
- Mémoires de guerre III. Le Salut. 1944-1946

DE VIGAN
- No et moi

DICKER
- La Vérité sur l'affaire Harry Quebert

DIDEROT
- Supplément au Voyage de Bougainville

DUMAS
- Les Trois Mousquetaires

ÉNARD
- Parlez-leur de batailles, de rois et d'éléphants

FERRARI
- Le Sermon sur la chute de Rome

FLAUBERT
- Madame Bovary

FRANK
- Journal d'Anne Frank

FRED VARGAS
- Pars vite et reviens tard

GARY
- La Vie devant soi

GAUDÉ
- La Mort du roi Tsongor
- Le Soleil des Scorta

GAUTIER
- La Morte amoureuse
- Le Capitaine Fracasse

GAVALDA
- 35 kilos d'espoir

GIDE
- Les Faux-Monnayeurs

GIONO
- Le Grand Troupeau
- Le Hussard sur le toit

GIRAUDOUX
- La guerre de Troie n'aura pas lieu

GOLDING
- Sa Majesté des Mouches

GRIMBERT
- Un secret

HEMINGWAY
- Le Vieil Homme et la Mer

HESSEL
- Indignez-vous !

HOMÈRE
- L'Odyssée

HUGO
- Le Dernier Jour d'un condamné
- Les Misérables
- Notre-Dame de Paris

HUXLEY
- Le Meilleur des mondes

IONESCO
- Rhinocéros
- La Cantatrice chauve

JARY
- Ubu roi

JENNI
- L'Art français de la guerre

JOFFO
- Un sac de billes

KAFKA
- La Métamorphose

KEROUAC
- Sur la route

KESSEL
- Le Lion

LARSSON
- Millenium I. Les hommes qui n'aimaient pas les femmes

LE CLÉZIO
- Mondo

LEVI
- Si c'est un homme

LEVY
- Et si c'était vrai...

MAALOUF
- Léon l'Africain

MALRAUX
- La Condition humaine

MARIVAUX
- La Double Inconstance
- Le Jeu de l'amour et du hasard

MARTINEZ
- Du domaine des murmures

MAUPASSANT
- Boule de suif
- Le Horla
- Une vie

MAURIAC
- Le Nœud de vipères

MAURIAC
- Le Sagouin

MÉRIMÉE
- Tamango
- Colomba

MERLE
- La mort est mon métier

MOLIÈRE
- Le Misanthrope
- L'Avare
- Le Bourgeois gentilhomme

MONTAIGNE
- Essais

MORPURGO
- Le Roi Arthur

MUSSET
- Lorenzaccio

MUSSO
- Que serais-je sans toi ?

NOTHOMB
- Stupeur et Tremblements

ORWELL
- La Ferme des animaux
- 1984

PAGNOL
- La Gloire de mon père

PANCOL
- Les Yeux jaunes des crocodiles

PASCAL
- Pensées

PENNAC
- Au bonheur des ogres

POE
- La Chute de la maison Usher

PROUST
- Du côté de chez Swann

QUENEAU
- Zazie dans le métro

QUIGNARD
- Tous les matins du monde

RABELAIS
- Gargantua

RACINE
- Andromaque
- Britannicus
- Phèdre

ROUSSEAU
- Confessions

ROSTAND
- Cyrano de Bergerac

ROWLING
- Harry Potter à l'école des sorciers

SAINT-EXUPÉRY
- Le Petit Prince
- Vol de nuit

SARTRE
- Huis clos
- La Nausée
- Les Mouches

SCHLINK
- Le Liseur

SCHMITT
- La Part de l'autre
- Oscar et la Dame rose

SEPULVEDA
- Le Vieux qui lisait des romans d'amour

SHAKESPEARE
- Roméo et Juliette

SIMENON
- Le Chien jaune

STEEMAN
- L'Assassin habite au 21

STEINBECK
- Des souris et des hommes

STENDHAL
- Le Rouge et le Noir

STEVENSON
- L'Île au trésor

SÜSKIND
- Le Parfum

TOLSTOÏ
- Anna Karénine

TOURNIER
- Vendredi ou la Vie sauvage

TOUSSAINT
- Fuir

UHLMAN
- L'Ami retrouvé

VERNE
- Le Tour du monde en 80 jours
- Vingt mille lieues sous les mers
- Voyage au centre de la terre

VIAN
- L'Écume des jours

VOLTAIRE
- Candide

WELLS
- La Guerre des mondes

YOURCENAR
- Mémoires d'Hadrien

ZOLA
- Au bonheur des dames
- L'Assommoir
- Germinal

ZWEIG
- Le Joueur d'échecs

Et beaucoup d'autres sur lePetitLittéraire.fr

www.lepetitlitteraire.fr

ISBN version imprimée : 978-2-8062-1281-8
ISBN version numérique : 978-2-8062-1774-5
Dépôt légal : D/2013/12.603/326

Made in the USA
Monee, IL
25 November 2020

49600828R00015